Diario de un ovni

UFO Diary

Satoshi Kitamura

Título original: *UFO DIARY*

© Satoshi Kitamura, 1989
Publicado en Gran Bretaña, en 1989, por Andersen Press Ltd.
© De la traducción: Miguel Azaola, 2011
© De esta edición: Grupo Anaya, S.A., 2011
Juan Ignacio Luca de Tena, 15. 28027 Madrid
www.anayainfantilyjuvenil.com
e-mail: anayainfantilyjuvenil@anaya.es

Primera edición, abril 2011
Segunda edición, febrero 2014

ISBN: 978-84-667-9533-3
Depósito legal: M-10948/2011

Impreso en España - Printed in Spain

Diario de un ovni

UFO Diary

Satoshi Kitamura

ANAYA
ENGLISH

El lunes me despisté en la Vía Láctea.

On Monday, I took a wrong turn in the Milky Way.

Allí, delante de mí, había un extraño planeta azul,
brillante como una bola de cristal.

There in front of me was a strange blue planet,
bright as a glass ball.

Entre nubes blancas vi formas que se movían y cambiaban, y

Between white clouds I saw shifting, changing patterns and

volé hacia aquel mosaico de islas y mares desperdigados

I flew on towards that patchwork of scattered islands and seas

hasta que vi una criatura.

until I saw a creature.

Me miró asombrado cuando aterricé.

It stared at me as I landed.

¡Qué aspecto tan raro el suyo!
Habló y no pude entenderle;
pero le sonreí. Él me sonrió también.
Entonces supe que iba a ser mi amigo.

What an odd-looking thing!

It spoke and I could not understand;

But I smiled. It smiled back.

Then I knew he was going to be my friend.

Me enseñó todo aquello y me presentó a sus parientes.
Jugamos durante horas hasta que oscureció

He showed me round and introduced me to his relations.
We played for hours until it grew dark

y el cielo se iluminó con un millón de constelaciones.
Lo miramos juntos y le enseñé por dónde había venido.
Se veía la luz acogedora de mi propio planeta.

and the sky lit up with a million constellations.
We looked up together and I showed him the way I had come.
There was the friendly light of my own planet.

Era hora de volver a casa;
pero él quería que yo antes le diera una vuelta.

It was time to go home;
but first he wanted to have a ride.

Nos adentramos en la noche,
y giramos alrededor de su planeta hasta que sintió vértigo.

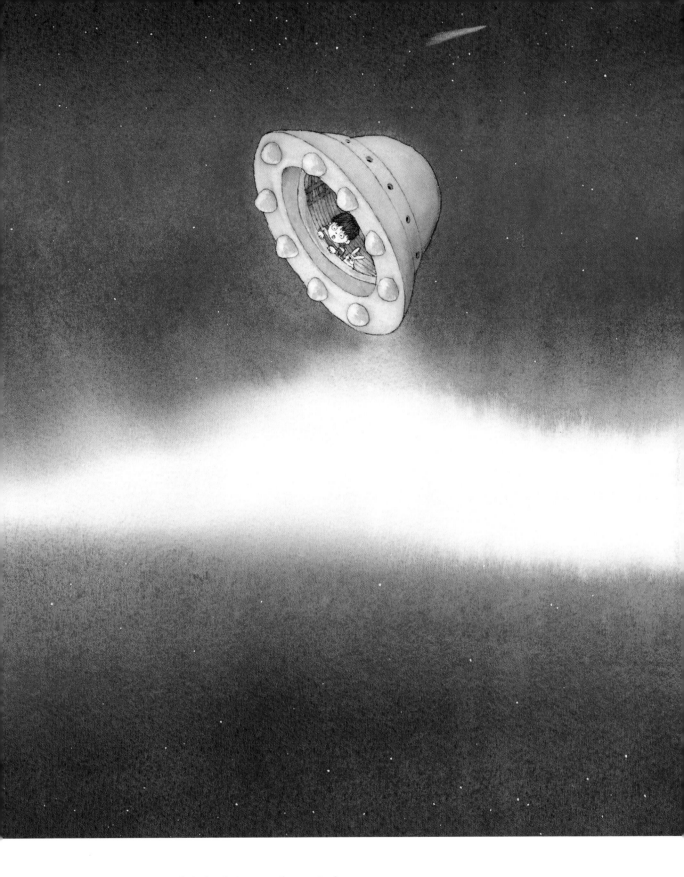

We whirled into the night,
spinning round his planet until he was giddy.

Lo dejé en su casa y me dio un regalo.

Era de color amarillo y crecía en el campo donde nos conocimos.

«La plantaré en alguna parte», le prometí.

Me sonrió y nos dijimos adiós con la mano.

I dropped him home and he gave me a present.
It was yellow and grew in the field where we met.
"I'll plant it somewhere," I promised.
He smiled at me and we waved goodbye.

El planeta fue desapareciendo debajo de mí.

Se hizo cada vez más y más pequeño hasta que al fin

se desvaneció en la oscuridad del espacio.

The planet slipped away beneath me.

It grew smaller and smaller until at last

it had vanished into the darkness of space.

Otros títulos publicados en esta colección: